"亮丽内蒙古"文化普及口袋书

U0102868

老城新篇

亮丽内蒙古

田宏利 ◎ 编著

内蒙古人民出版社

图书在版编目（CIP）数据

爱上内蒙古．老城新篇 / 田宏利编著．— 呼和浩特：内蒙古人民出版社，2021.10

（"亮丽内蒙古"文化普及口袋书）

ISBN 978-7-204-16897-2

Ⅰ．①爱… Ⅱ．①田… Ⅲ．①内蒙古－概况②城市－介绍－内蒙古 Ⅳ．① K922.6 ② K928.5

中国版本图书馆 CIP 数据核字（2021）第 216397 号

爱上内蒙古·老城新篇

作　者	田宏利
策划编辑	王　静
责任编辑	蔺小英
封面设计	吉　雅
出版发行	内蒙古人民出版社
地　址	呼和浩特市新城区中山东路 8 号波士名人国际 B 座 5 楼
网　址	http://www.impph.cn
印　刷	内蒙古恩科赛美好印刷有限公司
开　本	889mm×1194mm　1/48
印　张	2.5
字　数	50 千
版　次	2021 年 10 月第 1 版
印　次	2023 年 2 月第 1 次印刷
书　号	ISBN 978-7-204-16897-2
定　价	10.00 元

如发现印装质量问题，请与我社联系。

联系电话：（0471）3946120

编 委 会

开 电子书库 📖

　　阅读本丛书全部电子书，全方位了解内蒙古。

看 纪录片 ▶

　　从影视作品中了解内蒙古的历史文化。

赏 析 蒙古族长调艺术 🎵

　　聆听蒙古族长调民歌，带你领略蒙古族音乐的独特魅力。

📷 旅行交流圈

　　聊聊你眼中的内蒙古。

🐭 微信扫码

「亮丽内蒙古」文化普及口袋书

序

内蒙古是一个走进去就会爱上她的地方。

这里有辽阔壮美的天然草原——呼伦贝尔草原无边无际，科尔沁草原绿草如茵，鄂尔多斯草原草长莺飞，阿拉善荒漠草原苍茫神秘；有我国面积最大的原始林区——大兴安岭林海莽莽苍苍，美景如画；有生态类型多样的世界地质公园——阿尔山世界地质公园里有亚洲面积最大的火山地貌景观，克什克腾世界地质公园是我国北部环境演化的自然博物馆，阿拉善沙漠世界地质公园中的沙漠景观、戈壁景观、峡谷景观和风蚀地貌景观交相辉映。

这里也是"歌的海洋""酒的故乡""舞蹈的天堂"——一首首歌曲犹

如一泓清澈的甘泉，从苍茫遥远的天边流泻而来；一杯杯美酒醇香甘甜，醉人心田；一支支舞蹈激情澎湃地舞动着青春的活力，舞动着生命的力量。这里还有丰富多样、风味独特的美食佳肴，有悠久灿烂的地域文化及独具魅力的民俗风情，有蒙汉合璧、别具匠心的宏伟建筑，有革命历史文化底蕴深厚的庄严肃穆的红色旅游胜地……

这些都是内蒙古以昂然之姿向世人展示自己的美丽的底气。这套《"亮丽内蒙古"文化普及口袋书》策划的初心和使命，就是从自然景观、人文景观、民俗文化、地域文化、饮食文化及红色旅游、城区建设等多个方面展现内蒙古自治区的亮丽风采以及各族人民在中国共产党的正确领导下，始终坚定地沿着中国特色社会主义道路奋勇前进，共同团结奋斗、共同繁荣发展的崭新时代风貌。

假如这般如诗如画的美景和悠久璀璨的历史文化还不足以打动你，那么，请到内蒙古来吧，生活在这片土地上的勇敢、诚信、友善的各族人民将带你深入领略内蒙古经济发展、社会进步、文化繁荣、民族团结、边疆安宁、生态文明、人民幸福的亮丽风景线，为你提供 N 个爱上内蒙古的理由。

目 录

『青色之城』呼和浩特

　　"敕勒川，阴山下。天似穹庐，笼盖四野。天苍苍，野茫茫，风吹草低见牛羊。"歌中所唱的敕勒川就是呼和浩特所处的土默川平原。

　　今天的呼和浩特就位于古代敕勒川的中心地带。

　　呼和浩特市是内蒙古自治区首府，全区的政治、经济、文化中心，是国家森林城市、全国民族团结进步模范城、全国双拥模范城、国家创新型试点城市

航拍呼和塔拉草原

航拍呼和浩特市沙坑湿地公园

和中国经济实力百强城市，被誉为"中国乳都"。

这里有着悠久的历史和光辉灿烂的文化，是华夏文明的发祥地之一。

这里曾经是胡服骑射的云中之城、昭君出塞的途经之地、鲜卑拓跋的龙兴之所、唐朝李氏的发迹之乡，"一代天骄"曾在这里挥斥方遒、旅蒙商曾在这里进行贸易，作为丝茶驼路的重镇，很多商品曾在这里中转集散，召庙文化曾在这里盛极一时。这里是古代中国正北方的各民族之间、游牧文明和农耕文明之间，彼此交汇、相互碰撞、趋同融合的最前沿。

一首古老的民歌穿越千年的时空，今天读来，依旧是那么的鲜活。这首民歌信笔写来，不加雕饰，只用寥寥数语，就生动地描绘出草原辽阔、牧草丰茂和牛羊成群的景象，表现了大草原雄伟壮丽的风光和北方游牧民族的精神风貌，意境开阔、气象雄浑，在广袤的空间里，令人生出无限的遐想。

1581年，蒙古族土默特部的阿勒坦汗带领部众途经此地，看到这里北依阴山主脉、南望一马平川，水草丰茂、百兽出没，真是一个休养生息的绝佳胜地，于是决定率部众在此处筑城而居。当时垒建城墙的墙砖为位于呼和浩特市正北方的大青山上的青石，远远望去呈青色，因而此城被称作"青色的城"，简称"青城"。

夏日，绿波千里，茵茵草色隐没了山川、浸绿了天地，山野间游走着的羊群如流云飞絮点缀，地面上星星点点的蒙古包像是坠落在浩瀚绿海中的朵朵白云。

从首都国际机场起飞的航班飞过燕山山脉之后，透过舷窗下望，这样的景色瞬间就出现在视野里。

　　从高空俯瞰土默川大地，辽阔得让人感到正在万米高空疾速飞行的飞机似乎停滞在空中。晴朗的天气，高空中的能见度极佳，机翼下，云气仿若薄薄的蝉翼，轻纱般飘在一片茵茵绿意之上。温暖的阳光透过云气，照射在万顷碧野上，感觉阳光也变成绿的，阳光透过的云气也是绿的，满目之中，都是绿色，只有那远远的天边偶尔有几朵形状各异

航拍呼和浩特市区

的云，在那里毫无声息地堆叠着。

　　和它的名字一样，这座草原上的首府城市安详而温馨、朴实而低调。尤其是早春过后，城市里的白天，柳絮漫天，夜晚四处弥漫着清新馥郁的花草芬芳，夜再深些，把塞上老街的热闹喧哗留在身后，微风轻拂，夜色融融，城市灯火通明，不见其他城市那种混浊的光雾，能看到半个月亮在头顶深邃的夜幕中升起，清丽而温润。偌大的城市里，华灯闪烁，流光溢彩。夜深人静时分，这座城市给人的感觉依旧是醒着的，引人遐

航拍呼和浩特东站

想。在它得天独厚的广阔空间里，都市的万丈红尘被消除殆尽。每天晚上，它都带给市民们一个个玫瑰色的梦。

这样的体验在很多城市是很少有的。

若是你在清晨早早醒来，驱车行进在市区外环的道路上，天野苍茫间，偶尔会有风从城市北边的大青山上吹拂而来，穿过深邃沟谷，掠过高山草原，你会看见丰茂的牧草倾伏，漫步的牛羊闪现。

当你停车驻足高坡远眺，会感受到这里像蓝天一样无边的风，会看到风一样自由奔跑的骏马，以及山下那座"青色的城"——呼和浩特。

「草原钢城」包头

扫码查看
★ 同系列电子书
★ 内蒙古纪录片

　　包头是内蒙古自治区的经济中心之
一，是内蒙古最大的工业城市，是我国
重要的以冶金、稀土、机械工业为主的
综合性工业城市，被誉为"草原钢城""稀
土之都"。

　　黄河是中华民族的摇篮，而背靠绵
延千里的阴山，面临浊浪东流的黄河，
地处河套平原和阴山山地连接处的包头，
则是先民们得天独厚的活动场所。

　　当时的包头人居住在今转龙藏的坡

包头市银河广场上的雕塑

包头市银河广场

上，这里有一股常年不绝的清泉，满足人们生活所需。人们可以在坡下的平原上种植庄稼，而森林茂密的阴山则是狩猎的好地方。

包头之名只有二百多年历史。乾隆二十五年（1760年），清朝设置萨拉齐厅，下辖包头村。关于包头地名的来源有几种说法，主流说法认为包头之名来自"包克图"的谐音。"包克图"，蒙古语，意为"有鹿的地方"。

战国时期，赵武灵王始筑九原城，

隶属于云中郡；秦朝统一全国后，置九原郡，辖今包头市区、固阳县等地区，今土默特右旗归云中郡管辖，今达尔罕茂明安联合旗和白云鄂博矿区等赵长城以北地区为匈奴辖地。

公元前 51 年，南匈奴呼韩邪单于率众南下投汉。公元前 33 年，王昭君出塞，嫁给呼韩邪单于，汉匈之间保持和平长达 60 年。

汉匈友好相处时期，固阳城商贸发达，各民族友好往来。以畜牧业为主的匈奴人民赶着大批牛马进塞交易，为中原农业地区提供了大量的耕畜、乘马，特别是匈奴的良种牛马促进了中原地区牲畜的改良，而汉王朝也以粮食、布匹等生活必需品与匈奴交换，这对以游牧经济为主的匈奴人民来说，是极大的帮助。

现在的包头是清代以后逐步发展形成的。包头与山西有着很深的渊源，现在的老包头人还时常念叨："先有复盛公，后有包头城。"复盛公由央视曾经热播的《乔家大院》的主人公乔致庸的爷爷所创。乔致庸的爷爷当年由晋中走西口来到包头，并在包头发家。

相传康熙三十五年（1696年），康熙皇帝亲征噶尔丹时，曾路过包头，驻军昆都仑召，当时有一批中原地区商人随军来到包头进行贸易。雍正二年（公元1724年）后，山西的一些破产农民"走西口"，陆续来到今包头东河区种地。到了乾隆初年，昆都仑召已有商号72家，这些商人以后又逐渐迁到水草较好的西脑包，渐渐便形成了今天的包头东河区。1836年，包头的商号已发展到300余户，并且组织起包镇公行（即商会）。随着包头经济的发展和人口的增多，19世纪70年代，政府决定修筑包头城，历时四年竣工，隶属于萨拉齐厅管辖。

包头位于黄河几字弯的正上方，地理位置优越，水陆交通方便，因此很快成为内蒙古西部地区的商业中心。

包头的繁荣是由于商业贸易的兴盛，这里有名的行商是蒙古业和西庄业。所谓的蒙古业，主要是与外蒙古地区进行驼运买卖的行商。西庄业是专门与新疆地区进行贸易的行商。当时的驼栈、商行都设在西脑包，所以有"先有脑包，后有包头"的说法。

1923 年，京包铁路通车，沿海地区的货物能直接运到包头，包头的市场更趋繁荣，人口达 10 万以上，大小商号 500 余户。1929 年以后，由于军阀之间的混战和社会动荡，走外蒙古的行商完全停止了活动，包头与新疆地区的贸易

包头市银河广场一隅

也被西安、兰州所代替。抗日战争时期，黄河的水路被封闭，"百业兴"的包头变成"百业衰"，这种萧条的情况一直延续到1949年。

1949年9月19日，绥远和平解放，包头重获新生。经过几十年的建设，这座历经浮沉的商业城市发生了翻天覆地的变化，今天的包头城已经成为万里草原上最大的现代化城市、千里河套平原的产业龙头、国内重要的重工业基地。

中华人民共和国成立后，苏联在包头援建了包钢、内蒙古一机集团等6个项目。此外，苏联专家还帮助编制了包头市的总体规划。按当时的规划，包头包括16个城区，规模相当于现在的上海。可惜由于众所周知的原因，苏联的援建中途流产，只在包头留下一个国际大都市的架子。不过，这样的超前规划为包头后来的城市建设留下了巨大的发展空间。

今天到包头来，包头人会自豪地为你介绍那宽敞笔直的钢铁大街。这条大街的两头，一头为工业区，一头为居民区，而钢铁大街就像一个哑铃，把这两个区连在一起。包头是一座极其适合人类居住的生态城市。

包头的区与区之间隔着草地和高耸入云的白杨树林，全市3个主要城区面积在1万平方米以上的花园广场达30多个，其中阿尔丁广场按面积计算，约为北京天安门广场的1/4，大于莫斯科红场。在包头市广场的绿地上，时有美丽的梅花鹿出没，让人感到新奇有趣。包头不但获得联合国人居奖，而且和北京、上海、大连、青岛等城市一起被评为全国十大文明城市，它的美丽与整洁吸引着人们前来观光。

「草原明珠」鄂尔多斯

湛蓝的天空、金黄的沙海、广袤的草原、清澈的湖水……

鄂尔多斯拥有无与伦比的美丽！

"鄂尔多斯"，蒙古语，意为"众多的宫殿"。鄂尔多斯有着悠久的历史和灿烂的文化。

鄂尔多斯是地球上最原始的古陆之一，在多次复杂的地壳运动和海陆变迁中，最终形成鄂尔多斯高原。从距今 1.8

成吉思汗陵山门

成吉思汗陵宫室

亿年前起，直到距今 7000 万年前，鄂尔多斯大地上恐龙遍布，主宰着这片土地。今天，鄂托克旗境内还保留着完整的恐龙足迹化石区。

距今 5 万年到 3.7 万年前，河套人在鄂尔多斯市乌审旗境内的萨拉乌苏河（又名红柳河）流域繁衍生息，创造了著名的鄂尔多斯文化，史称"河套人文化"。

鄂尔多斯极富文化底蕴，蒙古民族著名的历史著作《蒙古源流》《蒙古黄金史》在此诞生，蒙古族长调民歌入选联合国教科文组织第三批"人类口头和非物质遗产代表作"名录，成吉思汗祭祀、鄂尔多斯婚礼入选全国非物质文化遗产保护名录。

鄂尔多斯的旅游资源具有鲜明的地区特点和民族特色，如十六国时期大夏都城统万城、始建于隋朝的十二连城遗址、成吉思汗陵、草原敦煌阿尔寨石窟、藏传佛教寺庙准格尔召，以及以库布齐沙漠、响沙湾为代表的大漠风光，鄂尔多斯遗鸥自然保护区，黄河大峡谷等。

以成吉思汗陵祭祀为核心的鄂尔多斯蒙古族祭祀文化充满了神秘色彩。几百年来，守护成吉思汗陵的达尔扈特人世袭更替，供奉着成吉思汗的陵寝，酥油灯长明不熄。

同时，鄂尔多斯地区作为元朝皇室的封地，其歌舞文化、服饰文化、饮食文化都带有元朝宫廷文化的独特色彩，使鄂尔多斯形成独特的民族文化和民俗风情。

今天的鄂尔多斯，经济腾飞，社会和谐，文化旅游产业空前繁荣，拥有世界上产业链最为完善、工艺技术水平最为先进的羊绒纺织产业领军企业，被誉为"绒都"。凭借鄂尔多斯青铜器博物馆、青铜文化广场，鄂尔多斯又被称为"青铜文化之都"。鄂尔多斯是中国西部休闲度假旅游目的地和集散地，获评最美中国·人文休闲旅游目的地城市、中国优秀旅游城市、全国文明城市、国家卫生城市、国家园林城市、国家森林城市、

巴音昌呼格草原

国家健康城市、全国最安全城市、全国旅游标准化示范区、中国人居环境建设示范区、全国最美健康养生旅游名区、避暑休闲之都等。

正是由于这些多彩的山川地貌、悠久的历史文化、古老的传奇故事，鄂尔多斯才形成丰富而且具有鲜明地域特色的旅游资源和文化产品。

"十四五"期间，鄂尔多斯将在全域旅游以及旅游供给侧改革的号召下，凭借优越的自然景观以及浓郁的民俗风情，着力打造休闲度假旅游胜地，通过发展区域旅游，在经济层面，带动区域经济结构转型，提高经济竞争力；在社会文化层面，继承发扬地域特色文化，把鄂尔多斯文化推向世界。

「塞上江南」巴彦淖尔

巴彦淖尔东与包头为邻，南与鄂尔多斯隔河相望，北与蒙古国接壤，西边以乌兰布和沙漠与阿拉善相连。

在巴彦淖尔，南眺是一望无际的大平原，北边便是阴山。

阴山绵延到这一地段，被称作"乌拉山"，这里山体的植被不如呼和浩特至包头段的山体，整个山坡上裸露着粗

巴彦淖尔丰收节举办现场

糙的褐红色岩石。

从网上查资料，由此向北拐去的阴山被称为"色尔腾山"。色尔腾山之后为狼山，是阴山终段山脉，呈弧形环抱于河套平原之北。再往后走，路边便没有了阴山山脉，高速路两边是无边无际的大平原，这就是著名的河套平原腹地。

河套平原有"前套"和"后套"之分，"前套"指宁夏的银川平原，而巴彦淖尔便在后套的腹地。黄河流过前套之后继续向北流，进入内蒙古境内，在巴彦淖尔境内被阴山所阻，折向东流，穿过阴山与鄂尔多斯高原之间。河面宽达3公里多，水势平缓，河床上布满沙洲和岔流。

史前时期，黄河在这里时常泛滥，形成一片汪洋，不分岔流，导致这一段的黄河河道极不稳定，常向南北迁移，并在这里形成异常宽阔的黄河冲积平原。

自古就有"黄河百害，唯富一套"之说，所谓"一套"就是指河套平原。

河套一带地势平坦，土地肥沃，但降水量稀少，因此远自秦汉时代起，生活在此地的先民就在这里开凿沟渠，引黄河水灌溉田地。所以，这里的农业十分发达，素有"塞外江南"和"天下粮仓"之美誉。

车子行驶在宽阔平坦的京藏高速上，路边是一望无际的农田，地里种植着葵花和玉米。巴彦淖尔的河套雪花粉非常有名，但在这里见不到成片的麦田。

这里的小麦与玉米套种，大片大片的玉米地里，夹杂着刚刚收割过的麦地，麦茬的金黄和玉米的油绿相互交织，组成这河套大地上纵横交错的美丽线条。

夏末时节，一片片种植着葵花的田地里，可以见到金灿灿的葵花恣肆浓烈地绽放，花团锦簇、层层叠叠，铺天盖地地铺展开来。一片绵延的金黄衬着蓝色的天、白色的云、亮丽的阳光、无边的大地，还有远方隐约可见的暗蓝色的山影。徐徐吹拂的风将金黄色的花瓣摇曳，似乎在这高天阔野之中有一只无形的巨手，在弹奏一曲闪动着金与绿的无声的交响曲，令人为之惊艳，也让人为河套地区金色花海那恣肆洋溢的无朋之美震撼。放眼望去，眼前的公路通向天际，疾驶的车子似乎被这金灿灿的岚气托飞着，听不见声响。

临河位于内蒙古阴山南麓黄河北岸的河套平原腹地，因紧临黄河而得名，是内蒙古自治区巴彦淖尔市政府所在地。

在临河环城路口下高速，需要半个多小时的车程才能到达临河市区，途中会经过一望无际的平野，满目丰饶的农田。等到路边开始出现整洁漂亮的路灯，临河城里高楼大厦的影子显现在远处的地平线上。

「富饶的城」巴彦浩特

　　阿拉善左旗人民政府驻巴彦浩特镇。巴彦浩特，蒙古语，意为"富饶的城"。发源于贺兰山的 3 条溪流穿镇而过，溪水清澈，晶莹如玉。

　　巴彦浩特镇有三景：一为"贺兰积玉"，指海拔高达 3000 多米的贺兰山主峰终年积雪；二为"金盆卧龙"，指坐落于这一富庶之地的金碧辉煌的王爷府；三为"葡萄倒流"，指承压水的山泉喷

巴彦浩特的城墙

出地面，犹如葡萄串。

走在巴彦浩特的大街上，你能感受到它的大气磅礴和广袤深邃。巴彦浩特地处贺兰山西麓，从春秋战国时起，匈奴、鲜卑、党项、回纥、蒙古等少数民族就在这里繁衍生息。自汉以降，这里更是丝绸之路的枢纽。

巴彦浩特旧名"定远营"。相传，东汉名将班超出使西域途中，曾在此驻扎。班超在西域活动时间长达三十余年，并因通西域有功，被封为定远侯，定远营由此得名。巴彦浩特又因地貌奇特、环境优美，被誉为西北草原上的"世外桃源"；更因城内外建筑多仿紫禁城，有"沙漠北平""塞外小北京"的美誉。在外国旅行者的眼里，定远营因房屋多为青瓦白墙，又被称为"沙漠中的白宫"。

巴彦浩特建于清朝雍正年间，至今已有近 300 年的历史。

康熙二十五年（1686 年），和硕特部首领和罗里为避准噶尔部之乱，率部从新疆经青海，辗转来到这里。康熙平定准噶尔部叛乱之后，设阿拉善和硕特旗，封和罗里为多罗贝勒，授札萨克（旗长）印，和罗里成为第一代王爷。不久，准噶尔部再生事端，清朝派岳钟琪驻守阿拉善，并在此修建定远营，这便是巴彦浩特的前身。

清朝统治时期，先后有 12 位皇室格格下嫁阿拉善王爷，在定远营城里居住，她们带来的京城文化在巴彦浩特留下深深的印记。

巴彦浩特旧城依地势起伏而筑，墙体较高，上可跑马；垛口如锯，威武耸立；庙塔楼阁，错落有致。城里城外，大到王府的建筑群落，小到一般的居民住宅，规模不同但结构相似，为典型的四合院建筑，有幽长的细窄胡同，与京城相仿。王府东花园的西式洋楼仿皇家园林的西花园，古香古色的街道上行人往来，令人难忘。

小镇的东边就是巍峨的贺兰山脉，处于贺兰山深处的古刹广宗寺相传是六世达赖仓央嘉措的归属之地。而贺兰山雪岭子附近的牦牛塘，传说就是当年仓央嘉措放生的地方。

巴彦浩特镇历史悠久，地域文化丰富多彩，境内人文景观和自然景观交相辉映，有名的古刹遍布其间。巴彦浩特镇有浓郁的民族特色和草原风情，这些独特而又丰富的旅游资源吸引着各地的人们前来观光。

到巴彦浩特的街头转转，能十分清晰地看到城市边缘的贺兰山脉，山体是

巴彦浩特定远营城门

那种纯净的蓝黑色，有条状的白云缠绕在山腰，云絮如带，山势峥嵘，景色十分美丽。清晨的巴彦浩特，大街上少见行人，街道宽敞而整洁。

阿拉善素有"驼乡"之称，巴彦浩特两条大街十字路口的环岛绿地上有"沙漠之驼"的城市雕塑，昂首苍穹。

如今的巴彦浩特镇建起了新区，新、旧两区的中间地带为生态园景观区，镇区内高楼林立、绿草如茵，风格独特，蓝天、碧水交相辉映，绿地、街道整洁美观，现代化气息日渐浓郁。

整个镇区风景宜人，庙宇轩昂，佛教文化、民族文化与现代文化相互交融。境内延福寺、阿拉善和硕特亲王府、南寺、月亮湖等知名景点吸引着众多来自宁夏、陕西的外地游客，巴彦浩特镇已经成为一座集人文景观和自然景观于一体的、新型的塞外旅游城市。

『吉祥之地』乌兰察布

在蒙古语中，"乌兰察布"意为"红色的山口"。乌兰察布市位于内蒙古中部，南部与山西相连，古城丰镇位于它的南部，北部是中蒙边境，地貌类型多样。乌兰察布位于长城以北农牧过渡带上，历史上，鲜卑、匈奴、契丹、突厥等游牧民族曾在此繁衍生息，曾是军事要塞。清朝时，归附清朝的蒙古四部六旗在此会盟。

暮色中的乌兰察布市

乌兰察布地区有6000余年的文明史，是中国古代北方文明的重要发祥地，也是草原丝路和万里茶道的重要节点，有瑰丽夺目的察哈尔文化和杜尔伯特文化。

大窑文化遗址是迄今为止中国发现的年代最早、规模最大的旧石器时代石器制造场；化德县裕民遗址填补了北方草原旧石器时代至新石器时代过渡期考古学文化的空白；岱海文化遗址群在同期文化中处于领先水平，被考古学家赞誉为"太阳升起的地方"；元代集宁路遗址是欧亚茶驼古道、草原丝绸之路的重要通道和货物集散地，见证了昔日"使者相望于道，商旅不绝于途"的灿烂辉煌。

乌兰察布境内有辉腾锡勒高山草甸草原、神舟飞船回归的杜尔伯特大草原、神秘的乌兰哈达火山草原、规模和保存完好程度世界第一的玛珥式火山群，有原生态的红召高山牧场，属于典型的高山湿地草原，草原的多样性在内蒙古是独一无二的，被誉为"草原博物馆"。

乌兰察布市地处环渤海经济圈和呼包银榆经济区接合部，是连接华北、东北、西北三大经济区的交通枢纽，也是国家"一带一路"建设和中俄蒙经济走廊的重要节点城市。

乌兰察布市距离首都北京直线距离仅 200 多公里，3 小时左右的自驾、90多分钟的高铁、40 分钟左右的飞行，就可将繁华都市的喧嚣与宜居小城的安逸联通，心中策马扬鞭的草原梦触手可及。

作为"一带一路"建设的重要节点城市，乌兰察布市是全国唯一连接长城与边境的城市，举世瞩目的神舟飞船主着陆场就在乌兰察布市四子王旗的杜尔伯特大草原上，续写着中华民族伟大复兴的宏伟篇章。

这里具有区位优势，交通便捷；风光秀美，生态宜居；历史悠久，文化灿烂多姿。"中国马铃薯之都""中国燕麦之都""中国草原酸奶之都""草原云谷""风电之都""中国草原避暑之都""草原皮都""中国最美养生休闲旅游城市""吉祥草原·神舟家园"等众多亮丽名片向人们展示着乌兰察布独具特色的迷人魅力。在全力打造内蒙古开放发展新高地、建设门户枢纽城市的崭新定位引领下，这座美丽的塞外名城正加速与世界各国进行互联互通，乌兰察布市正冉冉升起，成为我国向北开放的一颗璀璨明珠。

近年来，乌兰察布以"擦亮旅游品牌、塑造文化品牌、打造体育品牌"为目标，以推动文化旅游体育融合发展为主线，公共服务水平不断提高，品牌活动和特色赛事精彩纷呈，资源开发与宣传推介立体多维，区域合作交流深入开展，京蒙对口帮扶合作不断加强，市场秩序稳定，自身建设能力不断提升，文化旅游体育各项工作取得显著成效。

2020年，嫦娥五号返回器在四子王旗草原安全着陆，使得乌兰察布市再次成为世界瞩目的吉祥之地。

「塞外古镇」丰镇

扫码查看
★ 同系列电子书
★ 内蒙古纪录片

　　丰镇市位于内蒙古自治区中南部，地处山西省、内蒙古自治区交界处，素有"塞外古镇""商贸客栈"之称。2003年12月1日，经国务院批准，丰镇市由内蒙古自治区直辖，由乌兰察布市代管。

　　丰镇一名的由来是从清朝时在此设立的丰川卫和镇宁所中各取一字，当时为丰镇厅，民国时期改为丰镇县，1990

薛刚山

年 11 月 15 日撤县设市，始称丰镇市。

市区东面的薛刚山原名元石山，因为整座山宛如圆石，因而得名。后因传说薛刚曾在此兴兵反唐，又取名薛刚山。久而久之，人们就只知道薛刚山，忘却了此山的本名元石山。

薛刚山"平野独秀"，其四周较为平坦，孤峰突起，如磐石悬于空中。该山山顶像刀削过一样，平整而又宽阔，正中有古寨遗址，原有校场、正屋、廊房、马厩等，现建有革命烈士纪念碑、眺望亭等。校场前有脚印岩、马蹄岩、旗杆岩、试鞭岩等，山巅四周用巨石垒砌，很像古代的防御工事，险要陡峭，历来为军事重地。据《丰镇县志》载，五代时，大将周德威曾于此屯兵，又传说唐朝时薛刚曾避难于此，但均无史料佐证。

其实，历史上并无薛刚其人，"薛刚反唐""踢死太子惊崩圣驾"以及"一箭定阴山，饮马河畔收番邦"等，都是后人杜撰的故事。不知何人在何时将薛刚及其传说附会到元石山上，从而使其成为薛刚山。再后来，一些文人墨客来此，见此山雄伟壮观，争相作诗赋词，便"坐实"了此山即为薛刚山。

这从清代王士祯的七律可见一斑："峰头古寨旧遗痕，唐将名声今尚存。马道半留驰射迹，阵云无复战兵屯。英雄堪壮山河色，姓宇空传父老言。岭外夕阳回照处，寒流日夜听潺湲。"

薛刚山左侧是飞来峰，峰下建有金龙大王庙。该庙初建于辽天庆五年（1115年），祭祀金龙大王，位于今庙的后侧。

金龙大王庙

清嘉庆十九年（1814年），该庙移至现址重修，建筑面积约1000平方米，此后又陆续重修，增建望海楼、牌坊、厨房、保婴圣母祠、增福财神祠等。该庙供奉的金龙大王是南宋钱塘县北孝女里（今浙江省杭州市良渚镇安溪村）人，名叫谢绪（1250—1276年）。谢绪共有兄弟四人，分别名为纪、纲、统、绪，他为最小。南宋灭亡后，谢绪力图复国，失败后投水而死。后明朝时追封其为"金龙四大王"。金龙大王庙山脚下，有一股涓涓清泉，旧名"灵泉"，泉口处深不见底，泉水清冽，旧时每逢大旱，附近农民便来此处祈雨。

薛刚山对面是灵岩寺（原名牛王庙）。丰镇市古时有八大自然胜景：青山藏宝、碧海风涛、云门古洞、烟浦灵泉、牛心独秀、马脊双流、海楼夜月、山寺朝霞。其中的山寺朝霞指的就是灵岩寺的美景，此处每当霞光满天之时，楼阁树石俱成赤色。

历史上，丰镇的各行各业中，皮毛

业是最早发展的行业。各家毛店专门收购当地产的羊毛，主要是后山地区的羊毛。这些羊毛在当地进行初加工后，转销京津地区。明末清初，丰镇的绒毛业进入鼎盛时期，绒毛交易规模在绥远省居第三位。绒毛收购集中在城西，毛店巷由此得名。

经过清乾隆三十八年（1773 年）和道光二十年（1840 年）等的几次扩建，丰镇城修筑了城垣，基本格局初步确定下来。城内共有大街 16 条、小街 25 条、巷子 46 条。其中，有名的街巷有：老爷庙街、毛店巷、顺城街、忻州巷、大西街、平安街等。每条街巷的名称各异，但都与丰镇城的兴起与发展有着密切的关系。

老爷庙街的繁华、毛店巷的古老、顺城街的富裕、大西街的朴实，还有平安街的繁盛等，无不记载着这座城市的沧桑。

丰镇市曾是绥远省政府所在地，还曾是平绥铁路的终点站，当时大批晋冀客商云集于此。丰镇与锡林郭勒盟的多伦相似，都曾是内蒙古著名的商业城市。丰镇在历史上曾有"塞外旱码头"之美誉。当年，那些旅蒙商人在此往来穿梭，这里逐渐形成一条商贸古道，这给丰镇涂上了一抹浓重的商业色彩，草原文化、农耕文化和晋商文化在此经过长期融合，形成了丰镇文化，造就了丰镇人勇闯天下、敢走四方的魄力，以至于到了近现代，丰镇人一度把生意做到全国各地，有"买天下、卖天下"的说法。

丰镇市旅游资源丰富，古文化遗址有长城、烽火台、古城堡、古墓藏等；古寺庙，据史料记载，有牛王庙、河神庙、金龙大王庙、文庙、武庙、火神庙、正觉寺等。

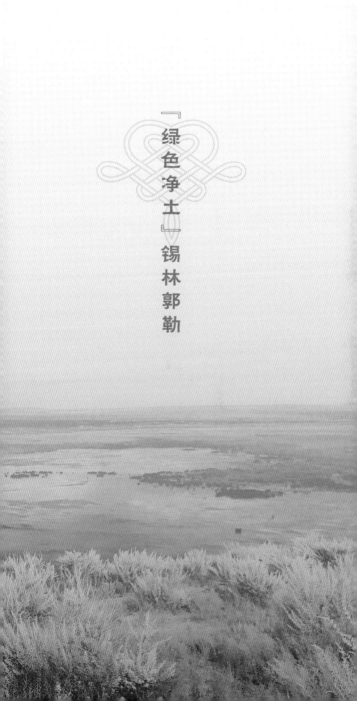

「绿色净土」锡林郭勒

打开中华人民共和国地图，位于北方的内蒙古自治区形同一匹奔驰的骏马，马首高昂，马尾飘扬，马蹄若隐若现。这匹骏马的脊背和胸膛处，有一片面积超过 20 万平方公里的土地，那便是锡林郭勒盟。

"锡林郭勒"，蒙古语，意为"丘陵地带的河"，因清初会盟于锡林河北而得名。历史上，锡林郭勒大草原上有

锡林郭勒草原

五个部落，由东向西分别为乌珠穆沁、浩济特、阿巴哈纳尔、阿巴嘎和苏尼特，草原也相应地由这些部落名称命名。今天的乌珠穆沁草原上有东、西乌珠穆沁两旗，它们属于历史上的乌珠穆沁部落，今天被人们简称为东乌旗和西乌旗。

锡林郭勒大草原有最蓝的天、最白的云、最绿的草，这里是心灵的净土。这里有许多蜿蜒绵长的河流，它们在草原上九曲十八弯，仿佛是闪亮的丝线，装订起一部关于草原的书。

高原湖泊、草原大漠、白云碧水、绿草蓝天、雨后彩虹、林木山花、河流清涧、冷月繁星，天堂草原，美不胜收。这里有纯朴的牧人、美丽的风景和悠扬的牧歌，让人心醉。

位于内蒙古自治区中部的锡林浩特市，是一个离天空很近的地方，东邻西乌珠穆沁旗，西依阿巴嘎旗，南与正蓝旗相连，东南与赤峰市克什克腾旗接壤，北与东乌珠穆沁旗相接。

站在贝子庙广场的最高处仰起头，

可以看到天上的云朵慢悠悠飘过头顶。

在锡林浩特市，天亮得很早。这里的马路不是很宽，但是不拥挤；这里的人不是很热情，但是很真诚。

锡林郭勒草原很美，从远处就能看到线条柔和、颜色鲜艳的草坡。

这里没有呼伦贝尔草原远离尘嚣的静谧，也没有辉腾锡勒草原浑然天成的风韵，但她有自己独特的魅力，花香、草香沁人心脾，像一位雍容华贵的夫人，

给人以无限的遐想。

夏季来临，微风过处，绿浪滚滚，浩瀚无边，锡林河就像一条洁白的哈达，在绿波里飘荡，芍药、山丹、油菜花在万顷碧波里耀眼夺目、斗艳争辉，奔腾的骏马把绿浪推向两边，匆匆驶向远方，湛蓝的天空上，有翱翔的雄鹰……

近处，洁白的蒙古包中炊烟升起，包内歌声不绝；远处，羊儿珍珠般散落在天边，咩叫声在暮色里回荡。勒勒车就像漫步的额吉，嘎吱嘎吱，唱着那首不朽的赞歌……

"蓝蓝的天上白云飘，白云下面马儿跑，挥动鞭儿响四方，百鸟齐飞翔……"

锡林郭勒是一个让人觉得生活其实可以很简单的地方。

「长调之乡」东乌珠穆沁旗

东乌珠穆沁旗位于锡林郭勒盟东北部，东与兴安盟接壤，北与蒙古国毗邻，国境线长达 500 多公里。

"乌珠穆沁"原为阿尔泰山脉葡萄山一带游牧部落的名称。传说，乌珠穆沁人原本生活在一个叫乌珠穆山的地方，山上长满葡萄。"乌珠穆"在蒙古语中意为葡萄，"乌珠穆沁"在蒙古语中意为"有葡萄的人或摘葡萄的人"。

乌珠穆沁草原上的牧民

明代时，漠北蒙古族部落之间纷争不断，有的部落被迫南迁，乌珠穆沁部看中了大兴安岭以西、宝格达山以南这片水草丰美的草场，并在此驻牧。

　　乌珠穆沁草原是内蒙古保存比较完好的天然草原，牧草非常茂盛，有"天苍苍，野茫茫，风吹草低见牛羊"的景致。如今，这样的草原风光在内蒙古其他地方很难见到。乌珠穆沁草原有着源远流长的历史和独特的草原风貌，这里绿意盎然、鲜花盛开，美不胜收。

　　东乌珠穆沁旗政府所在地为乌里雅斯太镇，这是个小城，人口不过几万。东乌珠穆沁旗历史遗迹众多，民风纯朴，是黄骠马和蒙古族长调民歌的故乡。在这里，就连孩子都会在不经意间唱起悠长舒缓的蒙古族长调民歌。在临近小镇的马路边上，会看到高大的绿色广告牌，上书"天下第一羊"。在内蒙古，锡林郭勒盟的羊肉以味道鲜美著称，如今北京等大城市的一些涮锅店，都会选购这里的羊肉。

　　漫步在乌里雅斯太镇街头，空气里

弥漫着烹制牛羊肉的香味，让人垂涎欲滴。这座小镇十分整洁，街上行人很少。小镇的夜晚非常静谧，街心的广场很大，霓虹灯闪烁着，像是夜空中的星星，伴着暮夏时节草原上特有的牧草的芳香，将人们的愁思消弭得无影无踪。

夜空中，稀薄的浮云围绕在月亮周围，银汉横陈，繁星点点，星光与城市的灯火交相辉映，让整个小镇流光溢彩。清风明月，夜色阑珊，人的心境也变得平和而又安宁。

云朵在天空中轻轻地舒展，小镇美得像一首诗。

乌珠穆沁草原上的人家

「摔跤之乡」西乌珠穆沁旗

西乌珠穆沁旗是我国著名的摔跤之乡。在距离旗人民政府所在地巴拉嘎尔高勒镇不远处的马路边上，有一个草坡，那些建在草坡上的蒙古式建筑笼罩在余晖中。据说，西乌珠穆沁旗每年的那达慕就在这里举行，届时有上千人聚集在这里，场面蔚为壮观。西乌珠穆沁旗的那达慕中，最有名的节目是草地摔跤，众里挑一的摔跤手们跃跃欲试，想要在赛场上一展雄姿。

巴拉嘎尔高勒镇辖区面积 622 平方公里，是西乌珠穆沁旗政治、经济和文化中心。巴拉嘎尔高勒镇的建筑非常现代，一条宽敞笔直的街道穿城而过。小镇的街道不像大城市那般喧嚣和嘈杂，余晖笼罩下的小镇，有湛蓝的天幕、洁净的云朵、整齐的楼房、徐徐的晚风，不知不觉间，让人沉浸其间，流连忘返。

喜欢摄影的朋友会在盛夏时节的傍晚驱车行驶在广袤的乌珠穆沁大草原上，

镜头下，有暮归的羊群在悠闲地漫步，夕阳把车子的影子投射在路旁的山坡上，忽长忽短的影子像只小甲虫在跳跃，蜿蜒的"草原小油路"渐渐变成一条黑色的锦缎，起伏绵延至天边。

车窗外，连绵的草色略略泛黄，在余晖的照射下，泛出一片温柔的黄，镶着金边的火烧云布满西方的天空，辽阔的大地一片沉寂。有风声掠过车窗，金黄的大地上，那絮状的云朵和羊群融为

蒙古搏克圣地——西乌珠穆沁旗

一体，丝绒般的天幕上，有一轮初升的秋月，洒下清辉。

有些草场的草已经收割，路边能看到排列整齐的金黄的草垛，不时还有装满草垛的小四轮或马车迎面而来，没人看管的羊群井然有序地踏上暮归的路。

一路行来，广袤的草原上看不到村庄，只能看到相距很远的一处处牧点。

在草原上，如果突然发现一群牛羊，仔细观察，必定会发现一处牧点。那一座抑或两座牧民的房子就隐在山包背后或草色深处，使无边的草原更显得辽远空阔。

「漠南商埠」多伦

内蒙古多伦淖尔湿国家湿地公园

Duolun Luanheyuan National Wetland Park, Inner Mongolia

在锡林郭勒大草原东南端，有一块遍布湖泊、河流纵横的土地，这里便是内蒙古锡林郭勒盟的多伦县，其蒙古语名为"多伦诺尔"，意为"七个湖泊"。实际上，如今的多伦县境内有大小湖泊60多个，有河流40多条。这里有宁静秀美的湖泊、奔腾不息的河流、神秘莫测的森林和浩瀚无边的沙地，这里物产

多伦会盟碑

丰富、景色宜人，美得像一幅画。在多伦县城的大街上，时不时会看到"古镇多伦"的标识，反映出多伦有着悠久辉煌的历史。

多伦县城不大，在历史上却是旅蒙商人聚集的漠南商埠，还是兵家必争的塞外重镇，在经济和军事方面，发挥着重要作用。

它背倚草原、面朝京津，距离北京直线距离仅为180公里，地理位置优越。上海、天津等大城市都有以"多伦"命名的街道，昭示着多伦辉煌的过往。

作为兵家必争的塞外重镇，与全国大多数军事要塞一样，由于战火的洗礼，多伦如今现存的历史遗迹屈指可数，只剩下汇宗寺、山西会馆等为数不多的几处。它们坐落在现代化的城市中，在塞外秋阳的照射下，诉说着古镇的辉煌与沧桑。

康熙二十九年（1690年），康熙皇帝在乌兰布通打败噶尔丹后，于次年赶赴多伦，召集南北蒙古各部举行会盟。

为满足蒙古贵族"愿建寺以彰盛典"的请求，也为了纪念多伦会盟这一重大历史事件，康熙皇帝下令在多伦建立喇嘛庙，取"万源之水汇于一宗"之意，赐名"汇宗寺"，由此可见康熙皇帝的良苦用心。

多伦在历史上曾是著名的宗教文化圣地，当时，汇宗寺的地位与布达拉宫、扎什伦布寺相当。

多伦有一个山西会馆。多伦会盟时，康熙皇帝批准了蒙古王公关于蒙汉通商

多伦山西会馆戏楼

的请求，当时北京城著名的商号纷纷到多伦开办分号，带动了多伦商业的发展。

在政府的修缮下，山西会馆大多数建筑已复原，其中最具特色的是会馆内的戏楼。

戏楼坐南朝北，高3丈多，戏台用两根大红明柱支撑，门前两根大旗杆下雄踞着一对形态逼真的石狮子，气势雄伟。

1933年，著名的爱国将领吉鸿昌率察哈尔民众抗日盟军与日军激战，一举收复多伦。据说，收复多伦后，吉鸿昌曾在山西会馆的戏楼召集万人开会，宣传抗日主张。

如今，在这戏楼的一侧，有专门的爱国主义教育纪念馆，向后来者讲述那段举国上下同仇敌忾的历史。

傍晚时分，多伦老城区的大街上少见行人。历史的车轮带走了如梦的繁华，作为一座辉煌与没落并存的古镇，多伦就在历史与未来的交汇处，从容享受塞外秋日的静谧。

多伦，一座谜一样的塞外古镇。

「恐龙之乡」二连浩特

扫码查看
★ 同系列电子书
★ 内蒙古纪录片

位于内蒙古自治区正北部的二连浩特市隶属于内蒙古自治区锡林郭勒盟，是我国北疆重镇，北与蒙古国扎门乌德市隔界相望，是我国对蒙开放的最大陆路口岸。集二铁路是直通蒙古国、俄罗斯的重要干线，是亚欧大陆最便捷的路线之一。二连浩特是连接亚欧的重要桥头堡，是距首都北京最近的边境陆路口岸。

二连浩特是个新兴城市，常住人口不足 8 万。这个城市经常接受风沙的洗礼，一年里有 180 多天刮五级以上大风，最低温度达 -40℃。每年最美的人间四月天，这里的草还在残冬的凄冷中枯黄着。但就是这座小城，却因其特殊的地理位置——北邻蒙古国、俄罗斯，成为与深圳一起开发的口岸城市。城里最高的建筑是位于市中心的百货大楼，共有十八层。据当地人讲，全城只有一个水泥厂和一个砖厂，再无其他企业，所以

二连浩特口岸

较少受到污染。街上几乎看不到巨幅的广告牌，即便位于市中心的百货大楼，也是"素面朝天"。街道的两旁可以看到一些城市文化名片，上面书写着"二连精神"：开放、包容、诚信、奉献。

街道两旁的小店大多卖一些牛肉干、奶制品，还有各种包装的巧克力，店主们大多戴顶毛茸茸的尖顶帽子，用流利的普通话介绍这些来自俄罗斯和蒙古国的商品，如数家珍。

二连浩特很安静，从早到晚，没有灯红酒绿、没有喧嚣嘈杂，没有打折、跳楼价的叫卖，寂静得像座空城。在这里，偶尔可以看到蒙古国的吉普车，车子破旧变形的帆布棚里装满各种货物，慢慢地驶过空旷的街道。

二连浩特像照耀大地的阳光一样，干净而又明亮，历史的痕迹仿佛被风沙过滤了般，只剩下干净的城、稀疏的人。

该地区最早有人居住的地方是市区东北方向的盐池——二连盐池，蒙古语称"额仁达布散淖尔"，意为"色彩斑斓的盐湖"。

二连盆地埋藏着丰富的恐龙等脊椎动物的化石，是亚洲最早发现恐龙化石的地区之一，二连浩特因此成为蜚声中外的"恐龙之乡"。二连浩特的恐龙化石品种繁多，科研价值极高。1998年，查干诺尔恐龙化石自然保护区设立。"恐龙之乡"已成为二连浩特市的名片，吸引着国内外的游客前来观光。

沿着主街道往正北方向走，就能看到国门，庄严的国徽镶嵌在红色的"中华人民共和国"七个大字的正上方。祖国的北大门前，年轻的战士伫立在界碑旁，在日夜不停的风沙中，屹立不动。

再往北走几百米，可以看到蒙古国的国门，两座国门遥遥相对。站在我国的国门前，在呼啸的风里凝视界碑，沉甸甸的责任感和油然而生的爱国主义情怀使得"祖国"这两个字比任何时候都更神圣。

威武雄壮的二连浩特新国门代表着祖国的形象，而今已成为广大中外游客观光旅游的新亮点、爱国主义教育的基地，每年大批师生、党团员等会到这里开展各式各样的爱国主义教育。

二连浩特像极了一个朴素自然、简净大方的女子，她将无尽的峥嵘岁月丢进风里，只留下淡定与从容。

我于春天轻轻来过，不带走一缕阳光、一丝绿意。

『玉龙之乡』赤峰

赤峰的前身是昭乌达盟，地处内蒙古东部，于 1983 年撤盟设市，因其境内东北处一座赭色山峰得名。

传说这座山峰原名叫九女山。远古时，有九个仙女犯了天规，西王母大怒，九仙女惊慌失措，一不小心打翻了胭脂盒，红色的脂粉撒在山上，将九座山峰染红。

赤峰市还有著名的红山文化。

红山文化为中国新石器时代文化，年代约与仰韶文化中晚期相当，以西拉木伦河、老哈河流域为中心，分布面积达 20 万平方公里。红山文化是富有生机和创造力的优秀文化，手工业较为发达，有极具特色的陶器装饰艺术和高度发展的制玉工艺，全面反映了中国北方地区新石器时代文化的特征和内涵。中国人被称为"龙的传人"，红山文化标志性器物 C 形玉龙，被史学界誉为"中华第一龙"。

赤峰南站

　　在中国古代，雄才大略的耶律阿保机、足智多谋的萧太后，都曾在赤峰留下浓墨重彩的一笔。骁勇强悍的契丹人建立的与北宋和西夏鼎足而立的大辽，在赤峰这块土地上创造了辉煌的历史。

　　唐朝末期，契丹在今赤峰境内崛起，后来建立了辽王朝。辽王朝共建有五个都城，其中上京、中京在赤峰境内。

　　鼎盛时期的辽朝，疆域万里，东抵库页岛（今萨哈林岛）、西到阿尔泰山、北至今蒙古高原北缘和外兴安岭、南到山西北部雁门关和河北中部，是拥有大片疆土的庞大帝国。

只是，随着契丹人退出历史舞台，这些曾经的辉煌和显赫都成为过眼云烟，难觅踪影。如今，人们也只能从杨家将镇守边关的故事里、从梁山泊好汉征伐大辽的情节里，抑或从金庸的《天龙八部》中窥见一斑。

赤峰市地域辽阔，自然资源丰富，地理位置优越，它东临辽沈，西靠京津唐，南近渤海湾，是首都经济圈和环渤海经济圈重要节点城市，是国家规划的公路

玉龙广场

运输枢纽城市，也是自治区距离出海口最近的城市。如今，赤峰的城市规模不断扩大、城市功能不断完善，已成长为一座充满活力的现代化城市。

这片神奇的土地，亦因未曾受到工业化污染，一直保持着醉人的原生状态，曾获国家卫生城市、国家森林城市、国家园林城市等荣誉称号。

这里有迷人的蓝天白云、湿地草场，也有碧绿清澈的河流湖泊；这里有天苍苍、野茫茫的草原风光，也有如诗如画的茫茫林海，还有通体赤透的红山，这里有看不尽的风景……

「小米飄香」 敖汉

出通辽一路向西，通赤（通辽至赤峰）高速公路宽敞而平坦，墨色的路面在午后阳光的照射下，泛着黑黝黝的光。车子在平坦的路面上行驶，一路上的风景让人陶醉。

一路上，先经过农区，继而是沙地。农区是一望无际的平原，人们能真切地感受到西辽河冲积平原的广袤，路边随时会看到"注意横风"的标识，提醒路人，要注意这里强劲的风。

车子进入赤峰境内，先途经敖汉旗，在齐家窝铺下高速，在出石窑子收费站的路口处，有指示牌标注着去敖汉和奈曼的方向。

原野

敖汉旗位于赤峰市东南部，南与辽宁省毗邻，东与通辽市相接，是内蒙古距离出海口最近的旗县。

敖汉旗历史悠久，境内有小河西、兴隆洼、赵宝沟、小河沿等史前文化，兴隆洼原始聚落遗址、城子山山城遗址、大甸子遗址、赵宝沟遗址、战国燕长城遗址等国家级重点文物保护单位，其中距今约 8000 年的兴隆洼文化遗址被考古学界誉为"华夏第一村"。此外，敖汉旗还有多座辽代壁画墓。

敖汉旗是以农业为主，农牧林结合的经济类型区，绿色资源是其一大优势。敖汉旗种植和食用小米的历史悠久，该地土壤富含锌、硒、铜等微量元素，适合小米生长。这里生产的小米颗粒饱满，营养丰富，畅销国内外。2013 年 5 月，"敖汉小米"被国家质检总局批准为"国家地理标志保护产品"，敖汉旗也被誉为"世界小米之乡"。敖汉旗政府所在地新惠镇是一个现代化的小镇，街道非常宽敞。在明丽的阳光下，小镇处处彰显着勃勃的生机。

「三省通衢」宁城

宁城地处内蒙古、河北和辽宁三省（区）交汇之处，素有"三省通衢"之称。告别了广阔的西辽河冲积平原，一路上看到的尽是起伏不平的丘陵和山地，这里已是燕山山脉的余脉了，远远地能看到山脉的走向。宁城县除了有"塞外茅台"之称的宁城老窖，还有温泉。众所周知，赤峰克什克腾旗的热水镇是极负盛名的"温泉之乡"，而在赤峰，还有一个热水镇，就在宁城县。也许是因为拥有这宜人的温泉，宁城老窖才能闻名于世。

热水镇非常美丽。夏夜里的小镇，到处飘着青草的芬芳，一轮明月悬挂在夜幕上，稀疏的星星在头顶闪烁。

宁城向来是一个人杰地灵的地方，曾为辽五京之一的中京。宁城的温泉在辽代就被开发利用，萧太后和辽太宗等辽朝贵族都曾来此沐浴。清朝时，康熙巡视塞外，也曾在此沐浴，人们还在其沐浴处修建了"圣泉亭"。宁城热水镇的温泉资源得天独厚，中心孔泉水温度最高可达到 97℃，是全国水温最高的温泉之一，泉水含有多种对人体健康有益的微量元素。

午夜时分，在草地上席地而坐，安享这塞外小镇的夏夜，夜风微拂，草香扑鼻，一轮明月在云中穿行，周遭都是野虫的鸣叫声，这独具魅力的夏夜让人陶醉。

「内蒙古粮仓」通辽

在内蒙古的东西部，各有两块冲积平原：一为西辽河冲积平原，通辽市位于其上；一为黄河冲积平原，即著名的河套地区，巴彦淖尔市位于其上。它们均为我国重要的商品粮基地。通辽市还被称为"内蒙古粮仓"。

通辽地处内蒙古东部，地理位置优越，其北部为大兴安岭南麓余脉的石质山地、丘陵区，其中部为西辽河冲积平原，其南部为辽西山地的黄土丘陵和浅山区。

通辽这个地方地肥水美，宜农宜牧，我国北方的许多游牧民族曾在此繁衍生息。

通辽历史悠久、古迹众多，是蒙古民族的发祥地之一，也是科尔沁文化的发祥地和传承地，这里还有大型史前聚落遗址——哈民遗址。早在五千多年前，科尔沁草原上就已经有人类生息。

通辽市的前身为哲里木盟，始置于清初，其地域北由索岳尔济山以南的洮儿河、嫩江流域起，南至东西辽河流域和养息牧河，西起乌哈那山，东至松花江、伊敦河。

秦朝统一中国后，通辽的中南部地区归辽东郡与辽西郡管辖。西汉初，匈奴控制了包括通辽在内的大漠南北广大地区，继之而起的是东胡族的后裔鲜卑和乌桓。汉武帝时，西汉曾三次出兵匈奴并获胜，使通辽同中原地区的联系更为密切，大大促进了通辽地区生产力的发展。

东汉时期，嫩江流域隶属于夫余，燕长城以南隶属于东汉的辽东郡、辽西

霍林郭勒市

郡。三国时，鲜卑人大规模内迁，东、西辽河流域隶属于鲜卑慕容部。辽代，嫩江流域和东、西辽河流域归上京道和东京道管辖。

清朝于崇德元年（1636 年）设立哲里木盟。哲里木盟当时包括 4 部、10 旗。有清一代，哲里木盟在政治、军事、经济等方面起着举足轻重的作用。清初的孝端文皇后、孝庄文皇后，清末名将僧格林沁，抗日英雄嘎达梅林等都来自这里，革命烈士麦新、吕明仁、徐永清等

霍林郭勒市可汗山

在这里牺牲。

在历史的长河中，这里留下了原始社会的石器、西周的青铜器、辽代的墓葬、金代的界壕……

中华人民共和国成立后，这里又被誉为"中国安代艺术之乡""中国版画艺术之乡""中国民歌曲艺之乡""中国马王之乡"和"中国红干椒之乡"。

这里还有国家级自然保护区大青沟，有亚洲最大的沙漠水库——莫力庙水库。

今天的通辽，正在发生日新月异的变化。高楼大厦、路桥霓虹、广场园林……这座城市处处是风景，像一只美丽的蝴蝶。

「天然氧吧」阿尔山

　　阿尔山的全称为"哈伦·阿尔山"，位于内蒙古东北部，横跨大兴安岭西南山麓，处于美丽的呼伦贝尔草原、广袤的锡林郭勒草原、辽阔的科尔沁大草原交汇处。

　　这是一座位于中蒙边境的小城，有举世闻名的温泉。九月的阿尔山，大兴安岭的秋韵在这里凝聚，各大草原的灵气在这里交汇，这里有松桦、林泉、翠峦，这里花红、草绿、天蓝。

阿尔山车站

阿尔山世界地质公园博物馆

　　走进阿尔山，最令人难忘的便是它秋日里那纯净蔚蓝的天空，凡是在此停留盘桓过的人，都会被这美丽的景色所打动。

　　阿尔山自然环境优越，森林覆盖率达 80% 以上，是"绿色宝库""天然氧吧"。阿尔山的秋夜，风似有若无地轻拂着人们的面颊，夹带着青草山花的芬芳，令人神清气爽。

　　阿尔山的夜，宁静而安详，淡淡的星光映照着大街小巷。驻足小城郊外的高坡上，能看到夜幕下的小城散发出熠熠光辉。偶有一颗或两颗经不住诱惑的星星突然从深邃的夜空中滑落，毫无声息地融入小城的夜色中，成为那里的一盏明灯、一缕清风。

阿尔山的夜色就是如此的美好，让人流连忘返。

徜徉在阿尔山无边的夜色里，沐浴着皎洁的月光，你可以尽情享受大自然的恩赐。

阿尔山的夜色

漫无目的地走在阿尔山的大街上，时间长了，就会想，这样的时候，真的很适合思念一个人。其实，这种刻骨的感觉早就蛰伏在自己体内，只是思念到了深处，亦只是淡淡的。

　　这种感觉就像是你走在路上时，看到山坡上开满鲜花，感觉它们藏在时间之外，一年四季从不凋谢，悄然绽放，鲜为人知。夜幕上又有一颗流星滑落，划过夜空的那道光是那么的耀眼，却稍纵即逝。

　　阿尔山是天造地设的精灵，她的美，不可言状。

　　没到阿尔山前，一切语言的描述都毫无意义；到了阿尔山，你会觉得一切语言的描述都苍白无力。

「北国碧玉」海拉尔

位于内蒙古自治区东北部的海拉尔（隶属于呼伦贝尔市）是镶嵌在呼伦贝尔大草原上的一颗明珠。"海拉尔"得名于城北流淌着的海拉尔河；还有一说，在蒙古语里，"海拉尔"的意思为"野韭菜"，在很久很久以前，海拉尔河两岸曾长满野韭菜，故取名为"海拉尔"。

在如今城市化进程加快的时代，这座被各大草原环抱的小城依旧保持着最初的风韵。如今，它因远离现代都市的喧嚣，获得"北国碧玉""天堂里的翡翠"等美誉。

海拉尔火车站站前广场

每年七八月份，在其他地方溽热无比的时节来到这座小城，会感到异常凉爽，有风吹来，夹带着沁人心脾的草香。远处有低低的云层，云朵一朵朵，堆叠成皑皑的雪原，罩在头顶，刺目的太阳光线从云缝间射下，像激光打出的道道光柱，不断变幻。

掠过眼前低矮的城市建筑，能看见远处如棉絮般的朵朵白云堆叠在一座座翠绿的山丘上。碧空如洗，明媚的阳光晃动，如梦如幻；草色碧绿，人行走在天光云影之中，很快会觉得目眩神迷，天上人间，不知身在何处、今夕何年。

清晨，小城的街上行人稀少，清新的空气略微有些湿润，感觉分外凉爽。一大早，天空就瓦蓝瓦蓝的，那么低，好像随时可以亲近。

露天的早市上，人头攒动，就地摆着的摊位上，野生的山蘑、木耳、干果应有尽有，还有新鲜的水产。来这里逛早市的人，对于要买的东西，掏钱照价买下，很少有讨价还价的现象，体现了东北人的爽直和纯朴。河边的小公园里聚集着早起晨练的人们，他们在波光潋滟的河边沐浴着小城清晨温暖的阳光。

海拉尔周边地区景致极佳，以草原、湖泊、冰雪风光为主。这里的呼伦贝尔大草原是中国目前没有被污染的草原之一。海拉尔的人文景观同样引人入胜，具有重要的价值。

海拉尔同时又是一个多民族聚居的地区，这里生活着汉、蒙古、回、满、朝鲜、鄂温克、鄂伦春、达斡尔等民族，各民族人民在这里安居乐业。

「东亚之窗」满洲里

扫码查看
★同系列电子书
★内蒙古纪录片

著名作家萨空了于 1982 年夏到访满洲里时，有感而发，曾赋诗一首：边城满洲里，雄踞北大门。湖水连天碧，山峦亘地青。雁回达赉湖，鱼跃乌尔逊。灵泉喷佳酿，褐煤献黄金……

满洲里于 19 世纪末形成村落，蒙古语称为"霍勒津布拉格"，也有称"布鲁给亚宝拉格"的，汉意为"旺泉"或"喷泉"，得名于今满洲里小北屯附近的泉水。

满洲里地处边陲，西临蒙古国，北接俄罗斯，揽中、俄、蒙三国风情于一处，山水秀丽，别具风韵。漫步在满洲里街头，哥特式建筑、俄式木刻楞建筑、俄式尖顶式建筑楼群以及拔地而起的新楼宇似凝固的艺术精品，时时跃入眼帘。

当拜占庭式的大型圆穹顶、哥特式的高耸尖塔、斯大林式的庄重建筑和巨型的洋葱头式建筑从我们眼前一一掠过时，浓浓的俄罗斯风味扑面而来，恍然间好像进入一个童话的世界。

满洲里市俄罗斯艺术博物馆深蓝色的外表与草原的翠绿色融为一体，这里还有十几层楼高的巨型套娃。可爱的套娃乖巧地坐落于城堡之间，将人们带入梦幻的童话世界。

中俄商贸步行街是这座边陲小城的核心区域，沿街商铺林立，充满俄罗斯风情。走在街道上，不时遇到三三两两金发碧眼的俄罗斯人，给人一种身处异国他乡的感觉。

在这条街上，悠扬的蒙古长调、深沉的俄罗斯民歌、铿锵的流行歌曲，不

满洲里的秋色

「东亚之窗」满洲里

满洲里市中俄互市贸易区

绝于耳。东方和西方、古老和时尚，在这里相互碰撞、彼此融合。

这里的边境贸易十分活跃，店铺里的商品有来自中国本土的，也有来自俄罗斯和蒙古国的。这里给初次到访的人们留下深刻印象的，应该是商业街上各个商家的招牌。大部分商铺的招牌上写着三种文字：中文、蒙古文、俄文。作为一座口岸城市，处于三国交界地带的满洲里独具风情，吸引着国内外的游人前来观光。

　　"一眼望俄蒙，鸡鸣闻三国。"满洲里地处东北亚经济圈的中心，是欧亚第一大陆桥的战略节点和最重要、最快捷的国际大通道，素有"东亚之窗"的美誉。满洲里对内背靠东北三省，与环渤海地区相贯通，经济腹地广阔；对外连接俄罗斯西伯利亚大铁路，铁路沿线

满洲里市口岸铁路

是俄罗斯人口最多、资源最富集的地区。

改革开放以来，随着边境贸易的快速发展，这个曾经"一支香烟走到头"的袖珍边城从循序对外开放到全方位推进，创造出经济持续高速增长的奇迹，一举成为中国最大的陆路口岸城市，承担着中俄贸易 65% 以上的陆路运输任务。

随着中俄蒙合作交往的深入推进及国家振兴东北、西部大开发和"一带一路"建设的加快实施，满洲里已成为东北亚区域经济合作的战略支点。

后　记

在中国版图上，内蒙古自治区如厚实的脊梁挺立在北方。这里有壮丽神奇的自然风景、独具魅力的人文景观、特色浓郁的民俗风情、丰富多元的旅游文化；这里的人民团结一心，在中国共产党的正确领导下，沿着中国特色社会主义道路不断前进，经济社会发展实现历史性跨越。

内蒙古人民出版社组织策划的这套全方位展示内蒙古风采的《"亮丽内蒙古"文化普及口袋书》，在内蒙古自治区党委宣传部和内蒙古出版集团的精心指导和大力支持下，成功立项并入选"亮丽内蒙古"重点图书出版工程。能够参与丛书的编写，我深感荣幸，感谢内蒙古人民出版社给我提供了这样的机会。

由于时间仓促,加之笔者水平有限,书稿不尽完美,在编校出版过程中,内蒙古人民出版社民族历史文化读物出版中心的编辑老师付出很多心血,她们认真负责、精益求精,使丛书在短时间内保质保量出版,在此,对各位编辑老师表示深深的谢意。

希望这套口袋书可以向读者展示一个真实生动、色彩斑斓的内蒙古,让更多的人了解内蒙古、认识内蒙古、爱上内蒙古。

编者

2021 年 9 月于呼和浩特市